FOT. JACQUES SASSIER/© GALLIMARD

Philippe Delerm

Pierwszy łyk piwa
i inne drobne przyjemności

Przełożył
Wawrzyniec Brzozowski

Tytuł oryginału i podstawa przekładu
La première gorgée de bierre et autres plaisirs minuscules,
Editions Gallimard, Paris 1997

Redakcja i korekta
Przemysław Pilarski

Projekt okładki i stron tytułowych
Jacek Staszewski

Wydanie pierwsze
Warszawa 2004

Wydawnictwo Sic! s.c.
ul. Chełmska 27 m. 23
00–724 Warszawa
tel./faks: (22) 840 07 53
e-mail: biuro@wydawnictwo-sic.com.pl
http://www.wydawnictwo-sic.com.pl

Łamanie komputerowe: Borgis, 02-795 Warszawa
ul. Kazury 2c m. 6, tel./faks: (22) 648 65 62

Druk i oprawa: Drukarnia Naukowo-Techniczna SA
03–828 Warszawa, ul. Mińska 65, tel.: (22) 321 38 40

Uprzejmie informujemy, że tekstów niezamówionych nie odsyłamy
i nie przechowujemy

NÓŻ W KIESZENI

Oczywiście nie kuchenny ani sprężynowy – dobry dla opryszka. Ale też nie zwyczajny scyzoryk. Powiedzmy, opinel nr 6 albo i laguiole*. Nóż, który należeć mógłby do teoretycznego, wzorcowego dziadka. Taki nóż, który wsunąłby on w kieszeń swych sztruksowych spodni w kolorze czekoladowym i w szerokie prążki. Nóż, po który sięgnąłby z nadejściem południa i jeden po drugim nadziewałby na czubek plasterki kiełbasy, a potem niespiesznie obrałby nim jabłko, naciskając palcami całą długość ostrza. Wreszcie, kiedy wypiłby już kawę z grubościennej szklanki, zamknąłby nóż szerokim, uroczystym gestem – i każdy by wiedział, że czas wziąć się do pracy.

Nóż, który zdawał ci się istnym cudem, kiedy byłeś mały – nóż do strzał i łuku, do wystrugania miecza z rękojeścią z kory – taki nóż, jaki rodzice uznają, niestety, za zbyt niebezpieczny, by miały go dzieci.

---

* Popularne we Francji typy składanych noży. „Opinel" z drewnianą rączką i szerokim ostrzem; „laguiole" wysmukły, z rączką zazwyczaj z macicy perłowej (przyp. tłum.).

Ale właściwie po co ci ten nóż? Minęły czasy dziadka, dawno nie jesteś chłopcem. Więc bezrobotny, wirtualny nóż – i do tego jeszcze żałosne alibi:

– Jasne, że się przydaje w wielu sytuacjach... Na przykład na spacerze czy podczas pikniku... Można nim majsterkować, jak nie masz narzędzi...

Nie przyda ci się nigdy, wyraźnie to czujesz. Ale przyjemność nie na tym polega: rzecz w absolutnej rozkoszy, płynącej z sobkostwa – piękny, bezużyteczny przedmiot z przyjaznego drewna lub też oziębłej macicy perłowej. I ten sekretny znak na klindze, czytelny tylko dla wtajemniczonych: dłoń zwieńczona koroną, parasol albo słowik – na rękojeści pszczoła... O tak, miły jest snobizm, gdy idzie o ów symbol prostego żywota. W epoce telefaksów to pierwotny luksus. Przedmiot, który jest tylko sobą, jałowym przedmiotem. Bezużytecznie wypycha ci kieszeń – sięgasz po niego od czasu do czasu, lecz nigdy po to, by się nim posłużyć. Wyjmujesz go, by dotknąć, by na niego spojrzeć; czujesz obłudną satysfakcję, gdy go otwierasz i kiedy zamykasz. W tej szczodrej chwili ukryta jest przeszłość. Na moment stajesz się siwowąsym, sielankowym dziadkiem i zarazem malcem, który nad wodą wdycha zapach czarnych bzów. Przez ten krótki czas, kiedy otwierasz i zamykasz ostrze, przestajesz być w średnim wieku – jesteś na początku i na końcu drogi. Na tym właśnie polega tajemnica noża.

PACZUSZKA Z CIASTKAMI
W NIEDZIELNE
PRZEDPOŁUDNIE

Każde – ma się rozumieć – inne. Jedna napoleonka, ptyś z kremem kawowym, dwie tartoletki z truskawkami i torcik migdałowy. Poza jednym czy dwoma, z góry wiadomo, co komu przeznaczone – a którym to łakomczuszki napełnią ekstra swoje brzuszki? Wyliczasz nazwy bez wahania. Posłuszna pani za ladą chwyta kolejno szczypcami przedmioty twego pożądania; nawet nie okazuje zniecierpliwienia, kiedy kartonik musi zmienić – napoleonka nie wchodzi. To ważne – ta tekturowa, kwadratowa tacka o zaokrąglonych, podwiniętych brzegach. To ona tworzy solidny fundament delikatnej konstrukcji, narażonej na wiele zagrożeń.
– To wszystko!
Tak więc pani ekspedientka spowija kartonową tackę w piramidkę różowego papieru, a potem prze-

wiązuje ją brązową wstążeczką. Kiedy wydaje resztę, trzymasz paczuszkę od spodu, ale ledwie przekroczysz drzwi cukierni, chwytasz ją za wstążeczkę i niesiesz, z lekka od siebie odsuwając. Tak to już jest – niedzielne ciastka nosi się jak wahadełko. Kroczysz więc naprzód – różdżkarz maleńkich ceremonii – nie pusząc się zbytnio, ale i bez fałszywej skromności. Czy nie ośmiesza cię aby odświętna powaga, godne trzech króli dostojeństwo? Ale skądże. Jeśli w niedzielę chodniki mają smak próżniactwa, rozkołysana piramidka też ma w tym swoją rolę – podobnie jak tu i ówdzie sterczące z koszyków pory.

Z paczuszką ciastek w ręce przypominasz profesora Tournesola – postawa w sam raz, by oddać honory eksplozji po mszy i falom, które się wylewają z kawiarni, trafik i bistr... Te rodzinne niedziele... Małe niedziele niegdyś, małe niedziele dzisiaj... Na końcu brązowej wstążeczki czas kołysze się jak kadzielnica. Odrobina kremu przylgnęła do czubka kawowego ptysia.

POMOC PRZY ŁUSKANIU
GROSZKU

To prawie zawsze zdarza się w tej pustej przedpołudniowej godzinie, gdy czas przestaje skłaniać się ku czemukolwiek. Brzęk kubków i okruchy śniadania zapadły w niepamięć, daleko jeszcze do bulgocących zapachów obiadu – w kuchni jest tak spokojnie, jakby jej nie było. Na stołowej ceracie prostokąt gazety, stosik strączków groszku, obok salaterka.

Nigdy cię nie ma, kiedy się zaczyna. Przypadkiem przechodzisz przez kuchnię, idąc do ogrodu, lub też wybierasz się sprawdzić, czy nadeszła już poczta.

– Mogę ci pomóc?

Niemądre pytanie, jasne, że możesz. Możesz usiąść przy codziennym stole i od razu złapać ten kojący, nonszalancki rytm, wyznaczany jakby wewnętrznym metronomem. Łuskanie groszku nie jest trudne. Wystarczy nacisnąć kciukiem krawędź zielonego strączka, a on z oddaniem się otwiera. Niektóre jednak, te niezbyt dojrzałe, zachowują większą powściągliwość – ale gdy natniesz je paznokciem, wtedy zieleń pęka i czujesz tuż pod złudnie suchym pergaminem skórki wilgotność zwartej tkanki. A potem wyłuskujesz groszki jednym pociągnięciem palca. Ostatni jest taki maleńki, aż chciałoby się go schrupać. Nie jest niestety smaczny, bo z lekka gorzkawy – ale ma w sobie tę świeżość, jaka panuje w kuchni koło jedenastej. W kuchni zimnej wody i obranych jarzyn. Tuż obok zlewu kilka nagich marchewek wciąż lśni wilgocią na ścierce – właśnie kończą się suszyć.

Rozmowa toczy się z wolna – muzyka słów zdaje się płynąć gdzieś z wnętrza, znajoma, spokojna. Chwilami unosisz wzrok, kończąc swoją kwestię. Spoglądasz na osobę, która siedzi obok – ona jednak nie podnosi głowy, wymaga tego obowiązujący kodeks. Mówicie o pracy, zmęczeniu, o życiowych planach – nie o sprawach duchowych. Nie po to jest łuskanie groszku, by znaleźć odpowiedź – łuskanie groszku jest po to, by pozwolić się nieść, troszkę może nie w porę. Pięć minut by starczyło, ale tak miło jest spowalniać czas, rozciągać poranek – rękawy zakasane, strączek po strączku łuskany... Przyjemnie zanurzyć ręce w salaterce pełnej stłoczonych kuleczek, w seledynowej toni – aż dziwisz się, że masz suche dłonie. Długa, błoga cisza, a potem:

– Trzeba by jeszcze po pieczywo skoczyć.

ZDECYDOWAĆ SIĘ NA PORTO

Od samego początku nie jest to zbyt szczere:
– Więc może kieliszeczek porto...
    W twoim głosie słychać nieznaczne wahanie i po-
wściągliwa jest twoja uprzejmość. Choć oczywiście
nie liczysz się w poczet ponuraków, którzy nie korzy-
stają z hojnych darów przedobiednich trunków, nie-
mniej twoje: „Więc może kieliszeczek porto" trąci
bardziej ustępstwem niźli entuzjazmem. Proszę bardzo, odegrasz swą rolę, ale bez rozgłosu, *mezza voce*
– to będą małe, ukradkowe łyczki.
    Porto. Tego się nie pije, to się z wolna cedzi. Nie tyl-
ko aksamitna gęstość jest tego przyczyną, ale i odgry-
wane przez ciebie sknerstwo konesera. Inni dali się
uwieść triumfalnej, zmieszanej z lodem goryczce whisky lub martini z dżinem – ty zaś tkwisz w letniej aurze
dobrej, starej Francji, w aromatach owoców z ogrodu
proboszcza, w niemodnej słodyczy – ledwie tyle w tym
mocy, by na policzkach panny wywołać rumieńce.
    Na dnie czarnej butelki oba „o" z porto sublimu-
ją trunek, który z głową wzniesioną dumnie niczym

gentilhombre, w głębi mrocznej zatoki z godnością krąży, jak bogobojny szlachcic surowych obyczajów, za to lśniący złotem. Ale potem, w kieliszku, czerń jest już tylko wspomnieniem. Poprzez słodycz lawy – bliższej w barwie granatom niżeli rubinom – przezierają tamte wydarzenia krwawe, słoneczka słodkiej zemsty, klasztory, zabójcze sztylety... Tak, tak – wszystkie te gwałty, tyle że uśpione ceremoniałem kieliszka, rozwagą skromnych łyczków. Przegotowane słońce, wygłuszone gromy. Przewrotny smak, matowy aromat, w którym tonie wszelkie rozpasanie i wszystko, co błyszczy. Porto. Z każdym łyczkiem pozwalasz, aby powracało do ciepłego źródła. To przyjemność na opak – zupełnie nie w porę, kiedy to trzeźwość bywa kłopotliwa. Za każdym razem, gdy nużasz koniuszek języka w czerwonym i czarnym, gęstnieje ciężki aksamit. Każdy łyk to po prostu kłamstwo.

ZAPACH JABŁEK

Schodzisz do piwnicy. Dopada cię natychmiast. Pełno tu jabłek – na matach, na odwróconych skrzynkach. Nie pomyślałeś o tym. Wcale nie miałeś ochoty tak bardzo się wzruszyć. Ale jest już za późno. Fala cię porywa. Jak mogłeś tak długo obywać się bez tamtego dzieciństwa – troszkę cierpkiego, pełnego słodyczy?

Pomarszczone owoce muszą być wspaniałe. To fałszywa suchość: w każdej zmarszczce czai się aromat konfitur. Ale wcale nie masz na nie apetytu. Wiesz, że ulotna woń utraci moc w chwili, gdy zmieni się w znajomy smak. Stwierdzić, że jabłka pachną mocno i przyjemnie? To nie tak. To coś więcej... Ten zapach przetrwał w tobie, nie da się zapomnieć – to zapach lepszego ja. Ma w sobie jesień w szkole, a ty fiołkowym atramentem znów skrobiesz brzuszki B, ćwiczysz proste I... O szyby deszcz dzwoni, wieczór będzie się ciągnął...

Ale woń jabłek to nie tylko przeszłość. Tamten czas powraca, bo tak mocno w tobie pachną wspomnienia zawilgłej piwnicy i mrocznego strychu. Lecz teraz jesteś tu i tutaj musisz temu stawić czoło. Za sobą masz wysokie trawy i wilgoć sadu. Przed sobą ciepły powiew dochodzący z cienia. Ten zapach wchłonął wszystkie brązy i czerwienie, z małą domieszką zielonej cierpkości. Jest w nim słodycz skórki, jej lekka chropawość. Czujesz suchość w ustach – lecz wiesz, że to pragnienie nie do ugaszenia i nic nie pomoże, jeśli wgryziesz się w biały miąższ. Musiałby nadejść październik, ubita ziemia piwnicy, łuki sklepienia, deszcz, oczekiwanie. Aromat jabłek boli. Tak właśnie pachniało mocniejsze życie, życie bez pośpiechu – nie zasługujesz już na nie.

ROGALIK NA CHODNIKU

Zbudziłeś się pierwszy. Ubrałeś się bezszelestnie; niczym indiański tropiciel przekradłeś się przez pokoje. Drzwi wejściowe otwarłeś i zamknąłeś z precyzją zegarmistrza i oto jesteś na porannym chodniku, w błękicie świtu obrębionym różem – połączenie w złym guście, ale chłód potrafi uszlachetnić wszystko. Wydmuchujesz obłoczki pary; czujesz się swobodnie i lekko – po prostu czujesz, że jesteś. To nawet lepiej, że do piekarza jest kawałek drogi. Kerouac z rękami w kieszeniach, wyprzedzasz cały świat – każdy twój krok jest świętem. Łapiesz się na tym, że idziesz krawężnikiem jak wtedy, kiedy byłeś mały – czyżby najważniejsze były marginesy, krawędzie rzeczy? To czas w stanie czystym – skromny łup podkradziony dniu, gdy wszyscy jeszcze pogrążeni są we śnie.

Prawie wszyscy. Konieczne jest u celu ciepłe światło piekarni – tak naprawdę to są jarzeniówki, ale myśl o cieple nadaje im poblask bursztynu. Kiedy się zbliżasz, widzisz, że witryna zaparowana jest tak właśnie jak trzeba. W „dzień dobry" pani piekarzowej słychać radosną życzliwość, zarezerwowaną wyłącznie dla porannych ptaszków – przymierze ludzi świtu.

– Poproszę pięć rogalików i bagietkę, tylko nie za bardzo wypieczoną!

A potem z głębi sklepu wyłania się piekarz w obsypanym mąką fartuchu i pozdrawia cię, jak w godzinie bitwy składa się hołd nieustraszonym. I znowu jesteś na ulicy. Czujesz, że to już nie będzie to – droga z powrotem. Chodnik jak gdyby stracił na wolności i trochę się zmieszczanił przez tę bagietkę pod łokciem, przez ten pakiecik z rogalikami. I wtedy sięgasz po rogalik. Jest ciągle jeszcze ciepły, miękki. Takie małe łakomstwo, gdy maszerujesz w chłodzie – i wtedy jakby cały zimowy poranek zamienił się nagle w rogalik, ty sam zaś stałbyś się piecem, domem, przytulnym schronieniem. Przenika cię jasność; zwalniasz troszeczkę, by przejść przez błękit, szarość i róż, który już przygasa. Zaczyna się dzień – za tobą już wszystko, co najlepsze.

SZMER DYNAMA

Ciche szuranie, pomruk i poszept tarcia o oponę. Tak dawno już nie jechałeś o zmierzchu rowerem! Samochód cię wyprzedził, trąbiąc – i stary gest ci się przypomniał: zdjąć lewą rękę z kierownicy, odchylić się do tyłu i nacisnąć przycisk, uważając – to ważne! – na szprychy. Jak przyjemnie, kiedy maleńka buteleczka ulegle tuli się do koła. Wąski, złoty snop światła natychmiast roztacza wokół granatową noc. Obracasz pedałami – stajesz się własną elektrownią. Lecz najważniejsza jest muzyka. Wydaje ci się, że ciche, krzepiące frr frr trwa nieprzerwanie od zawsze. To zupełnie nie to samo jak wtedy, gdy koło ociera się o krzywy błotnik. Rowkowana główka dynama, przytulona do gumy opony, mniej ci zawadza niż błoga ospałość. W rytm monotonnej wibracji okoliczne pola zapadają w sen.

I wtedy powracają poranki z dzieciństwa – droga do szkoły, wspomnienie przemarzniętych dłoni. Tamte letnie wieczory, gdy szło się po mleko do fermy w sąsiedztwie... A w tle kołysze się brzęk osłony łańcucha, który wprawia ją w taniec... I wyprawy na ryby o bladym świtaniu, gdy opuszczałeś dom, cały zaspany; i cichy stuk trącających o siebie bambusowych wędek... Na drodze, którą rozściela przed tobą dynamo, wolność zawsze tak bardzo smakuje o szarej godzinie, kiedy to świat przestaje albo też zaczyna mieć kolor wrzosowy. Przy włączonym dynamie trzeba kręcić pedałami płynnie i z wyczuciem, pilnując, by mechanizm pracował należycie. Przy jego wtórze suniesz miarowo przed siebie, w rytm obrotów turbiny napędzanej wiatrem, która – jak gdyby nigdy nic – miele ścieżki pamięci.

INHALACJA

Ach, te niezapomniane choroby dzieciństwa! – dzięki nim mogłeś spędzić kilka dni w łóżku, w towarzystwie królika Bugsa. Ale cóż, z wiekiem coraz mniej przyjemności płynie z niedomagań. Jest oczywiście grog. To cenna rzecz – porządny, tęgi grog, przy którym możesz nad sobą pobiadać. Subtelniejsze są wszakże rozkosze inhalacji.

Nie decydujesz się na nią od razu. Na oko inhalacja wydaje się przykra – czy aby nie jest wręcz szkodliwa? Człowiek kojarzy ją z płukaniem gardła – z tym metalicznym, mdłym posmakiem. No ale czujesz się tak źle, tak bardzo ciąży obolała głowa. Wtedy ogarnia cię przeczucie, że to, co może cię zbawić, na pewno jest gdzieś w kuchni. Tak, właśnie tam, obok kuchenki, zlewu i lodówki, znajdujesz skromną, prostą rzecz, która potrafi przynieść ulgę. Tam, na półeczce, pośród saszetek z herbatą i miętą, stoi Fumigalen. Cierpiętnik z profilu na etykietce z minionej epoki wchłania z lubością śnieżnobiały dym. I właśnie to przeważa szalę: uczucie, że powtarzasz dawno minione rytuały.

Wpierw trzeba zagotować wodę. Kiedyś był tutaj specjalny aparat z plastiku – zostawiał pod oczami sinawe obwódki, a jego dwie części nie chciały się trzymać. Od biedy można było nawet czytać, gdy odsunęło się książkę. Lecz inhalator zaginął – i tak jest o wiele lepiej. Zatem do miski z wrzątkiem dodajesz łyżkę przejrzystego, złotawego płynu – natychmiast bucha opar w groszkowym kolorze. A potem nakrywasz głowę frotowym ręcznikiem. Gotowe – dałeś się połknąć, rozpoczął się odlot. Z zewnątrz wyglądasz na kogoś, kto leczy się stosownie, z właściwym poświęceniem oraz dyscypliną. Pod spodem jednakże rzecz ma się inaczej. Czujesz coś na kształt rozmiękczenia mózgu, zapadasz się głęboko w bezładną wilgotność. Pot zalewa skronie. Wszystko rozgrywa się w środku. Regularny oddech, który z założenia służyć ma metodycznemu oczyszczaniu zatok, wyzwala moc, jaką kryje w sobie przewrotny Fumigalen. Zastygły w bezruchu, zaczynasz z rozkoszą błądzić – szerokimi gestami pływaka przedzierasz się przez bladą dżunglę zielonkawej trucizny. Dymy rodzą się z wody, woda rodzi się z dymów. Pęczniejesz, zanikając – aż w końcu cię nie ma. Słyszysz, jak tuż obok, w bezkresnej oddali, w tamtym, zwykłym świecie, ktoś stuka sztućcami, nakrywając do stołu. Lecz skąpany w oparach wewnętrznej gorączki, wcale nie masz ochoty, aby podnieść całun.

MAŁO BRAKUJE, A MOŻNA
BY BYŁO ZJEŚĆ
NA ZEWNĄTRZ

Rzecz właśnie w tym „mało brakuje" i w trybie warunkowym. Z początku wydaje się to zupełnym szaleństwem. Dopiero co zaczął się marzec, przez cały tydzień lało, do tego były zamiecie. A dzisiaj proszę: od rana świeci matowe jeszcze słońce, z monotonną siłą. Minęło południe – stół już nakryty, posiłek gotowy. Ale i w domu wszystko się zmieniło. Przez uchylone okno słychać hałasy z zewnątrz, a w powietrzu unosi się to takie lekkie coś.

„Mało brakuje, a można by było zjeść na zewnątrz". To zdanie pojawia się zawsze w tym samym momencie – wtedy, gdy właśnie macie siąść do stołu. Wydaje się już za późno, by zamieszać czas – przystawka czeka na obrusie. Za późno? Od ciebie zależy, jaka będzie przyszłość. Może w porywie szaleństwa wybiegniesz na zewnątrz i gorączkowo przetrzesz szmatką ogrodowy stół, a potem wszystkim poradzisz, by założyli swetry, i spróbujesz jakoś opanować pomoc, z którą się każdy narzuca z niezręcznym entuzjazmem. A może się poddacie i zostaniecie w cieple – krzesła są zbyt wilgotne, trawa za wysoka...

Ale to mało ważne. Istotna jest tylko chwila, gdy wypowiadasz tamto dość niewinne zdanie. Mało brakuje, a można by było... To całkiem miłe – życie w trybie warunkowym. Jak niegdyś w dziecięcych zabawach: „co by było, gdyby...”. Życie wymyślone, które ma za nic nawyki i przekonania. Odświeżające życie „mało brakuje, a...” – masz je w zasięgu ręki. Skromna, smaczna fantazja na temat zamieszania w codziennych rytuałach. Lekki poryw szaleństwa, które zmienia wszystko, niczego nie zmieniając...

Mówisz czasami: „Mało brakowało, a można było wtedy...” – to smutne stwierdzenie dorosłych, którzy na puszce Pandory w równowadze umieją zachować jedynie nostalgię. Ale bywa, że udaje się pochwycić dzień w tej zawieszonej chwili, kiedy wszystko jeszcze jest możliwe – w delikatnym momencie, gdy wahasz się uczciwie i nie ustawiasz z góry ramion wagi. Są takie dni, gdy tak mało brakuje, by.

NA JEŻYNY

Wybrać się trzeba późnym latem, w towarzystwie starych przyjaciół. Koniec wakacji tuż, tuż. Za kilka dni wszystko zacznie się znów – to ostatnia prawdziwa włóczęga, pachnąca już wrześniem. Nie trzeba umawiać się wcześniej, jak na obiad. Wystarczy w niedzielę wczesnym popołudniem zatelefonować:

– Pójdziecie z nami na jeżyny?

– Zabawne, właśnie mieliśmy wam to zaproponować!

Zawsze powracamy w to samo miejsce, wzdłuż wąskiej drogi na obrzeżu lasu. Z roku na rok gęstnieją jeżynowe krzaki i coraz trudniej się w nie wedrzeć. Matowa zieleń liści, pędy i kolce w barwach osadu wina – to kolory papieru do obkładania zeszytów i szkolnych podręczników.

Każdy się zaopatrzył w pudełko z plastiku, w którym jagody się nie rozgniotą. Pora więc zaczynać – z początku niezbyt metodycznie, nie nazbyt namiętnie. Wystarczą dwa, trzy słoiki konfitur na jesienne śniadania, nadchodzące wielkimi krokami.

Ale najpyszniejsze będą jeżynowe lody, jeszcze dziś wieczorem – zamrożona słodycz, w której drzemią uśpione ostatnie promienie słońca, podszyte mrocznym chłodem.

Jeżyny są nieduże, czarne i błyszczące. Ale przy zbieraniu najlepiej smakują te, w których tkwi jeszcze kilka czerwonych paciorków – mają z lekka kwaskowaty smak. I tak, już po chwili, mamy dłonie w czarne plamy. Wycieramy je, na ile się da, w wypłowiałą trawę. Na skraju lasu zrudziałe paprocie, zawinięte niczym pastorały, biadają nad liliowymi perełkami wrzosów. Wracając, rozmawiamy o wszystkim i o niczym. Dzieciaki nagle poważnieją – trapi je niepokój, kto będzie je uczył w nadchodzącym roku. To jest przecież ich powrót, a jeżynowa ścieżka pachnie dla nich szkołą. Łagodna droga troszeczkę faluje – znakomita droga, by sobie pogadać. Pomiędzy dwoma deszczykami ożywa światło, wciąż jeszcze gorące. Zebraliśmy jeżyny, zebraliśmy lato. Na małym zakręcie, tam gdzie rosną leszczyny, wkradamy się w jesień.

PIERWSZY ŁYK PIWA

On jeden się liczy. Następne – coraz dłuższe, coraz mniej skuteczne – niosą w sobie już tylko mdławą ociężałość, przesyt, który wszystko psuje. Może jeszcze ostatni, gdy się okazuje, że całkiem cię opuściła twa pozorna siła. Ale ten pierwszy łyk! Łyk? Do przełyku jeszcze długa droga. Najpierw na wargach musujące złoto, chłodna świeżość podsycona pianką, a potem to szczęście z akcentem goryczy, które z wolna rozlewa się po podniebieniu. Jakże długi wydaje się ten pierwszy łyk! Przełykasz go natychmiast z instynktownym, zdało by się, pożądaniem. Ale tak naprawdę wszystko było przewidziane: ilość – nie za dużo ani nie za mało, dokładnie tyle, ile trzeba na początek; natychmiastowa błogość, podkreślona westchnieniem, mlaśnięciem języka albo też równie wymownym milczeniem. I złudne uczucie, że rozkosz ta będzie trwała w nieskończoność... Ale ty już wiesz – za tobą wszystko, co najlepsze. Odstawiasz szklankę na tekturowy kwadracik, potem troszeczkę ją odsuwasz.

Smakujesz kolor – zmrożone słońce, sztuczny miód. Czekasz pokornie i cierpliwie – chciałbyś, by ten rytuał pozwolił ci ujarzmić cud, który w tej samej chwili pojawił się i zniknął. Z satysfakcją studiujesz nazwę na ściance butelki. Ale cóż, możecie wzajemnie – nektar i pojemnik – bez końca badać się do głębi. To się już nie powtórzy. Chciałbyś zachować sekret tamtej przemiany w złoto, umieć ją zamknąć w formułach. Nic z tego jednak – smutny, zwiedziony alchemik przy białym stoliku, całym w plamy słońca, potrafi ocalić jedynie pozory. I coraz więcej pije piwa, i coraz mniej odczuwa szczęścia. To gorzka przyjemność – pijesz po to, aby zapomnieć tamten pierwszy łyk.

AUTOSTRADA NOCĄ

Samochód to dziwna rzecz – jest jednocześnie jak przytulny domek i jak pojazd kosmiczny. Pod ręką cukiereczki miętowo-ślazowe, a przed oczami zorza liczników i wskaźników skrzy się elektryczną zielenią, siną niebieskością, anemicznym oranżem. Nawet nie chce ci się słuchać radia – może za chwilę, o północy, kiedy podadzą wiadomości. To przyjemne, dać się zniewolić tej zamkniętej przestrzeni. Wszystko oczywiście zdaje się uległe; wszystko grzecznie cię słucha – biegi, kierownica, manetka wycieraczek, lekko naciskasz guzik podnośnika szyby... Ale również kabina zawiaduje tobą, narzuca swą władzę. W ciszy wyściełanej samotnością czujesz się troszkę jak w kinowym fotelu: film defiluje przed tobą i pewnie jest najważniejszy, ale ledwie wyczuwalna lewitacja ciała daje ci poczucie dobrowolnego zniewolenia – i to też się liczy. Na zewnątrz, w wiązce świateł, między barierą z prawej i krzakami z lewej, panuje podobny spokój. Ale gdy raptownie uchylisz szybę, zewnętrze natychmiast wdziera się w ciepły półsen wnętrza – to prędkość w stanie czystym. Tam na zewnątrz sto dwadzieścia kilometrów na godzinę ma zwartość i masywność stalowego pocisku, wystrzelonego między dwie bariery. Przemierzasz noc. Mijasz rozrzucone tablice – „Futuroskop", „Poitiers-północ", „Poitiers-południe", „Następny zjazd: Bagna Poitiers" – brzmią bardzo z francuska, zapachniało lekcją geografii. Ale to abstrakcyjny zapach – ta rzeczywistość prowadzi donikąd; wymazujesz ją starym sposobem leniwych spryciarzy. Wirtualna Francja, którą kasujesz, dociskając gaz, wpatrując się w licznik, to jeszcze jedna lekcja, której nie odrobisz.

Za dziesięć kilometrów będzie kafeteria. Zatrzymasz się tam. W oddali wyłania się już płaska katedra wzniesiona ze świateł; rośnie jak port u kresu morskiej podróży. Super+ 98. Orzeźwiający wiatr. Mechaniczna uległość dystrybutora i mruczenie licznika. Potem do środka – jakby lepka ociężałość, jaka panuje na wszystkich dworcach świata, we wszystkich nocnych portach. Expresso i dodatkowy cukier. Liczy się idea, fakt wypicia kawy, nie jej smak. Gorąco, gorzko. Parę sztywnych kroków, błądzisz wokół spojrzeniem; mijasz kilka sylwetek, ale nie mówisz nic. A potem znów twój gwiezdny statek. Mościsz się w kokpicie – odeszła gdzieś senność. Jak dobrze, że tak daleko do świtu.

W STARYM POCIĄGU

Nie w TGV, o nie! Ani w lux-torpedzie, ani nawet w pospiesznym. Ale w jednym z tych starych, burych pociągów, które przesiąknięte są zapachem lat sześćdziesiątych. Spodziewałeś się, że jak zwykle pojawi się wagon otwarty na przestrzał, w którym bez reszty rządzi sterylny funkcjonalizm; oczekiwałeś automatycznie rozsuwanych drzwi. Nigdy się nie dowiesz, czemu tamtego dnia podstawiono ten skład. Skąd pociąg z dawnych lat?

Posuwasz się korytarzem. Pierwsza rzecz, która wszystko zmienia, to szarpnięcie za klamkę, by otworzyć przedział. Zderzasz się z gąbczastym, naelektryzowanym gorącem, włamujesz się w cudzą prywatność mniej czy bardziej rozpartą, mniej lub bardziej nieprzystępną. Mierzą cię wzrokiem od stóp do głów – żegnaj, anonimowa dyskrecjo wagonów bez przedziałów! Gdybyś się nie przywitał i nie zapytał, czy jest wolne miejsce, uznano by cię za barbarzyńcę. Wskazany jest także ten z lekka strapiony niepokój, który wchodzi w skład rytuału. Sezam otwiera podwoje. Lecz przyzwolenie, byś dostąpił zaszczytu przekroczenia progów rodzinnego salonu, żywo przypomina burczenie w brzuchu.

Teraz już możesz się wcisnąć w kąt przy korytarzu i rozprostować nogi. Spojrzenia pasażerów krążą wedle zasad pewnej gimnastyki – instynktownej i złożonej. Wolno zatrzymać wzrok na czarnym linoleum podłogi, pomiędzy nogami sąsiadów; mile jest też widziana dłuższa pauza ponad ich głowami. Pozycje pośrednie – skądinąd zdecydowanie najbardziej interesujące – należy przybierać ukradkiem. Ale któż dałby się nabrać? Badawcza wnikliwość przechwyconych spojrzeń zadaje kłam rzekomej wstydliwości delikwentów. Ucieczka w pejzaż za oknem wydaje się stosowna; po drodze zatrzymać się można na ołowianej szarości popielniczek ze znakiem kolei. Ale dopiero na górze, opodal kwadratu lustra, oku udaje się umościć naprawdę wygodnie. Oprawne w metalową ramkę czarno-białe zdjęcie Moustiers-Sainte-Marie (w Alpach Wysokich) nie prowokuje, póki co, do ucieczki. Rozbudza za to pamięć o minionych czasach, kiedy to siedząc w przedziałach, zwykło się jadać w podróży. Niemal czujesz, jak w powietrzu unosi się zapach kiełbasy, krojonej opinelem; oczami duszy widzisz rozpostartą serwetkę w czerwoną kratkę. Zapadasz się w epokę, kiedy podróż była jeszcze wydarzeniem – kiedy czekano na peronie, by móc ci zadać rytualne pytania:

– Nie, nie, całkiem wygodnie. Przy samych drzwiach. Jakieś młode małżeństwo, dwóch wojskowych i starszy pan, który wysiadł w Aubrais.

TOUR DE FRANCE

Tour de France to lato. Lato, które nie umie się skończyć, lipcowy skwar w południe. W domach zamknięte przewiewne żaluzje, życie zwalnia rytm, drobinki pyłu tańczą w słonecznych promieniach. Sie-
dzenie w zamknięciu, kiedy niebo jest tak doskonale
błękitne, to rzecz co najmniej dyskusyjna. Gnuśnieć
przed telewizorem, podczas gdy istnieją głębokie lasy, woda obiecuje ochłodę i tyle światła wokół!?
A jednak masz do tego pełne prawo, jeśli tylko śle-
dzisz Tour de France. Ów czcigodny rytuał nie ma
nic wspólnego z rozmamłaną wegetacją, bydlęcym
rozleniwieniem. Nie ogląda się zresztą po prostu Tour de France – ogląda się wiele naraz. Tak, tak –
w każdy obraz peletonu, mknącego po drogach
Owerni czy Bigorre, wpisują się między wierszami
wszystkie peletony z przeszłości. Przez jaskrawe, po-
łyskliwe kostiumy prześwitują tamte koszulki z cie-
niutkiej wełny: Anquetil nosi żółtą, od niedawna ze
znakiem zakładów Helyetta, Roger Rivière niebie-
sko-biało-czerwoną, z niezwykle krótkim rękawem,

a Raymond Poulidor fiołkowo-żółtą z napisami: Mercer-BP-Hutchinson. Przez soczewki kół majaczą skrzyżowane na plecach dętki, którymi opasani są Lapébie i René Vietto. Samotna ucieczka po szutrach La Forclaz przeziera przez zatłoczony asfalt Alped'Huez...

I zawsze ktoś powie:

– Ja to w Tour de France najbardziej lubię widoki!

Bo rzeczywiście, przemierzamy spieczoną latem Francję, której lud wyległ na ulice miast, niziny i górskie przełęcze. Publika wtapia się w festyn w niewinnym ferworze, czasem tylko kilku nazbyt podnieconych narwańców posunie się zbyt daleko. Ale na tle górskich przełęczy – kamienistej Galibier, pełnej mgieł Tourmalet – szczypta żabojadziego rozpasania podkreśla tylko mityczny wymiar herosów.

Nie mniejszą popularnością cieszą się nie tak już istotne dla klasyfikacji etapy płaskie. Emocje na widok przejeżdżającego wyścigu są tu bardziej powściągnięte – publiczność ożywia się dopiero z powodu podążającej za peletonem reklamowej karawany. Zmiany w klasyfikacji generalnej nie za bardzo się liczą – chodzi o ideę: przeżyć choćby przez chwilę duchową jedność z całą skąpaną w słońcu Francją czasu żniw. Na ekranie telewizora wszystkie lata są do siebie podobne. A najzuchwalsze ucieczki mają smak chłodnej wody z syropem miętowym.

BANANA-SPLIT

Nigdy tego nie zamawiasz. To zbyt monstrualne, a do tego, z powodu obfitości cukrów, mdłe i niemal pozbawione smaku. No ale cóż. Za wiele próbowałeś ostatnio kunsztownych, wysmakowanych kompozycji – a każda z nich to kolejne rozczarowanie. Posunąłeś się nawet do lekkich jak piórko lodowych wysepek, pływających w syropie; próbowałeś też, w ramach umiarkowanego letniego rozpasania, mieszanki truskawek, poziomek, porzeczek i jeżyn we wszystkich odcieniach czerwieni. Tak więc ten jeden jedyny raz nie przeskakujesz w menu nad linijką, w której widnieje napis: banana-split.

– A dla pana?

– Banana-split.

To nie takie łatwe, zamawiać tę górę najprostszego szczęścia. Bezstronny kelner uprzejmie przyjmuje zamówienie i nic nie daje po sobie poznać, ale jednak człowiek czuje się zmieszany. Jest coś infantylnego w tym dzikim, łakomym pożądaniu, zdolnym przezwyciężyć dietetyczną moralność i estetyczne skrupuły. Banana-split to podniecające, dziecinne łakomstwo – pierwotny apetyt. Kiedy ci go podadzą, goście przy sąsiednich stolikach spoglądają szyderczo na twój talerz – bo banana-split serwują na talerzu albo też na niewiele dyskretniejszej tacce. Wszędzie wokół delikatne pucharki jak dla ptaszków, filigranowe ciasteczka, których czekoladowość mieści się z powodzeniem na rachitycznych talerzykach. A Banana-split bezczelnie się puszy. To jest rozkosz pospolita – nieforemny pagórek banana na kulkach waniliowych i czekoladowych lodów, skryty pod szczodrą dawką rozmamłanej bitej śmietany. Tysiące ludzi na ziemi umiera właśnie z głodu. Taka myśl da się ostatecznie strawić w przypadku kawałka gorzkiej czekolady. Ale jak się z nią zmierzyć, gdy przed tobą czeka banana-split? Kiedy już masz ów cud przed nosem, jakoś tracisz apetyt. Na szczęście pojawiają się wyrzuty sumienia, co pomaga ci spożyć do końca te wycieńczające słodkości. Chwiejnemu apetytowi przychodzi też w sukurs zdrowa perwersja: jak niegdyś w dzieciństwie podkradałeś ze spiżarni konfitury, tak teraz bezwstydnie wykradasz przyjemność, uznaną za nieobyczajną – i z przyjemnością grzeszysz aż po ostatnią łyżeczkę.

NIEOCZEKIWANE ZAPROSZENIE

To naprawdę nie było przewidziane. Miałeś jeszcze sporo do zrobienia na jutro. Wpadłeś tylko, by się o coś zapytać, a tu proszę:

– Zjesz z nami? Skromnie, czym chata bogata...

Rozkoszne są te sekundy, gdy czujesz, że zaraz zaproszą cię na kolację. Cieszy oczywiście perspektywa miłych chwil, ale idzie też o to, że jest okazja, by zamącić czas. Cały dzień był tak absolutnie przewidywalny; program na wieczór zdawał się tak niewzruszony. A tu proszę! Młodniejesz w mgnieniu oka – tak po prostu, od ręki, możesz zmienić bieg rzeczy. Nie umiesz sobie tego odmówić.

Nie ma mowy o żadnych konwenansach – nie usadzą cię w fotelu w salonie, byś wypił obowiązkowy aperitif. Nie, rozmowa będzie niespiesznie toczyć się w kuchni – „Możesz mi pomóc obrać te ziemniaki?". Z nożem do jarzyn w dłoni mówi się naturalniej i łatwiej się zwierza. Po drodze przegryzasz rzodkiewkę. Gdy cię zaproszą znienacka, stajesz się prawie członkiem rodziny, niemal domownikiem. Zyskujesz swobodę ruchów; masz dostęp do schowków i szafek. „Gdzie trzymacie musztardę?". Zapach szalotki i pietruszki zdaje się dochodzić z dawno minionych lat domowej wspólnoty. Czy było właśnie tak, kiedy wieczorami odrabiałeś lekcje przy kuchennym stole? Odzywacie się z rzadka. Nie ma wcale potrzeby zalewać się wzajemnie potokami mowy. Teraz najprzyjemniejsze są puste plaże pomiędzy słowami. Żadnego zakłopotania. Kartkujesz książkę wyjętą z biblioteki. Słyszysz, jak ktoś mówi: „To już chyba wszystko?". Odmawiasz, kiedy proponują ci aperitif – naprawdę to robisz! Nim zaczniecie jeść, będziecie gadać, siedząc przy nakrytym stole, z nogami opartymi na troszkę zbyt wysokich poprzeczkach wyplatanych krzeseł. Gdy cię zaproszą znienacka, czujesz się wspaniale – swobodnie i lekko. Na twoich kolanach mruczy, wygodnie zwinięty, czarny domowy kot – wiesz, że jesteś swój człowiek. Życie stanęło w miejscu – pozwoliło się znienacka zaprosić.

CZYTANIE NA PLAŻY

Czytać na plaży – to nie takie proste. Leżąc na plecach – prawie niemożliwe. By nie oślepiło cię słońce, musisz osłonić twarz książką, którą trzymasz w rękach. To dobre na kilka minut, potem się odwracasz. Na boku, wsparty na łokciu, ze skronią na dłoni, gdy drugą ręką przytrzymujesz książkę i przewracasz strony – też nie jest zbyt wygodnie. Kończysz więc na brzuchu, z głową opartą na łokciach. Przy samej ziemi zawsze troszkę wieje i małe kryształki, połyskujące miką, wkradają się pod okładkę. Na szarym, lekkim papierze wydawnictw kieszonkowych natychmiast gasną, zapominasz o nich – to tylko dodatkowy ciężar, który zsypujesz od niechcenia co kilka stron. Ale na grubych, białych, groszkowanych kartkach eleganckich wydań ziarenka piasku to prawdziwy intruz. Rozproszone po śnieżnej równinie błyskają tu i ówdze – są niczym dodatkowa interpunkcja, otwarcie w inną przestrzeń.

Ważne, o czym traktuje książka. Można mieć mnóstwo przyjemności, bawiąc się w kontrasty. Przeczytać sobie fragmencik z *Dziennika* Paula Léautaud, w którym wyraża się on z odrazą o ciałach stłoczonych na bretońskich plażach. Poczytać *W cieniu zakwitających dziewcząt* i wstąpić w miniony świat kąpielisk, pełen parasolek, słomkowych kapeluszy i ukłonów w dawnym stylu. Pogrążyć się pod palącym słońcem w przesiąknięte deszczem, nieszczęsne przypadki Oliviera Twista. Pogalopować na koniu, wzorem d'Artagnana, w ciężkim bezruchu lipca.

Nieźle jest również nawiązać do lokalnego kolorytu – na własnej pustyni rozciągnąć od brzegu do brzegu *Pustynię* Le Clézio. Wtedy ziarnka piasku, zbłąkane między stronicami, wchłaniają sekrety Tuaregów – powolnych, granatowych cieni.

Lecz jeśli zbyt długo czytasz, podparty na łokciach, zaczyna gnieść cię podbródek, a w ustach masz pełno plaży. Zmieniasz zatem pozycję: krzyżujesz pod sobą ramiona, co jakiś czas wysuwając rękę, by odwrócić stronę. Jest w tym coś z zadumy czasu dorastania – lektura zyskuje szczyptę melancholii. Kolejne pozy, nieudane próby, całe zniechęcenie i od czasu do czasu drobne przyjemności – tak właśnie wygląda czytanie na plaży. Czujesz się wtedy, jakbyś czytał całym ciałem.

RACHATŁUKUM U ARABA

Bywa, że ktoś daje wam rachatłukum w drewnianej skrzyneczce z wypalonym napisem. Jest to rachatłukum przywiezione z podróży albo – jeszcze bardziej bezduszne – rachatłukum-podarek-skombinowany-w-ostatnim-momencie. Dziwne, nigdy się nie ma ochoty na takie smakołyki. Przejrzysty, lśniący arkusik, chroniący warstwy przed sklejeniem, zdaje się jednocześnie skutecznie zapobiegać przyjemności, jaką powinno sprawić ujęte w dwa palce rachatłukum, kiedy zaraz po kawie skubiesz je bez przekonania koniuszkami zębów, strzepując cukrowy puder, który powalał ci sweter.

O nie! Rachatłukum warte grzechu to rachatłukum uliczne. Dostrzegasz je w witrynie: niepozorna, wzbudzająca jednak zaufanie piramidka, a wokół niej paczuszki henny oraz pistacjowozielone, landrynkoworóżowe i złocistożółte tunezyjskie ciasteczka. Sklepik jest wąski i niemiłosiernie zatłoczony po sam sufit. Wchodzisz, niby onieśmielony, z niejaką wszakże wyniosłością, z uśmiechem zbyt uprzejmym, by mógł być uczciwy – i tracisz pewność siebie, bo w owym uniwersum niezbyt jasno rozpisano role. Ten kędzierzawy chłopak to sprzedawca czy kumpel syna właściciela? Ledwie kilka lat temu zawsze mogłeś liczyć na Berbera w niebieskim bereciku – i wszystko było jasne. Teraz trzeba próbować na ślepo, ryzykując, że wezmą cię za tego, kim rzeczywiście jesteś, czyli zbitego z tropu, łakomego głupka. Nie masz pojęcia, czy ten młody człowiek naprawdę tu pracuje – ale w każdym razie sprzedaje. Przeciągająca się niepewność jeszcze bardziej psuje ci nastrój. „Sześć rachatłukum? Różanych? Wszystkie różane, jak pan sobie życzy..." Wobec nonszalanckiej nieco usłużności, z lekka – obawiasz się – zabarwionej kpiną, twoje zakłopotanie rośnie. Ale sprzedawca (?!) zapakował już do papierowej torebki sześć różanych sześcianików. Spoglądasz raz jeszcze zachwyconym okiem na pękającą od skarbów jaskinię, zastawioną cietrzewicą, kuskusem i butelkami Sidi Brahim – nawet czerwień spiętrzonych puszek coli ma tu z lekka berberyjski wygląd. Płacąc, nie zdradzasz triumfalnej satysfakcji – z torebką w ręce wykradasz się niemal jak złodziej. Ale za to na ulicy, kiedy już przejdziesz parę kroków, masz wreszcie prawo do nagrody. Rachatłukum od Araba tak właśnie należy smakować: na chodniku, po cichu, w wieczornym chłodzie. I co z tego, że rękawy obsypane masz pyłem cukrowym?

NIEDZIELNY WIECZÓR

Niedzielny wieczór! Nie trzeba nakrywać do stołu – nie będzie ciepłej kolacji. Każdy na własną rękę buszuje sobie w kuchni, by sprawdzić, co da się wygrzebać na wciąż jeszcze świąteczną przekąskę – smakowita kanapka z kurczakiem doprawionym musztardą, wyśmienita szklaneczka bordeaux, połknięta naprędce, by skończyć butelkę. Przyjaciele poszli sobie wraz z wybiciem szóstej. Dużo jeszcze przed tobą. Puszczasz wodę do wanny. To będzie prawdziwa kąpiel, jak to w niedzielę wieczorem – z mnóstwem błękitnej piany i masą czasu na żeglowanie w ciepłej mgle pomiędzy dwiema nicościami. Lustro w łazience pokrywa się parą – myśli rozmiękają. Przede wszystkim trzeba zapomnieć o przeszłym tygodniu – tym bardziej o tym, który masz przed sobą. Ulec hipnozie maleńkich fal, które od koniuszków palców rozchodzą się w gorącej wodzie. A potem, kiedy już wszystko pogrąży się w pustce, w końcu się oswobodzić. Może by tak poczytać? Owszem, ale jeszcze nie teraz. Na razie telewizja, czym głupsza, tym lepsza.

Ach, po to tylko oglądać, by sobie pooglądać! Wgapiać się w ekran obojętnie, zupełnie bez powodu! To jest jak woda w wannie: ogarnia cię otępienie, namacalna wręcz błogość. Ufasz, że aż do nocy czeka cię święty spokój z głową schowaną w bamboszach – i wtedy nadchodzi maleńka melancholia. Telewizor zaczyna cię nieznośnie drażnić, więc go wyłączasz. Jesteś teraz daleko, czasem aż w dzieciństwie; snują się mgliste wspomnienia niespiesznych spacerów – gdzieś w tle szkolne niepokoje, zmyślone miłości... To cię przeszywa na wylot. Przepływa przez ciebie nieproszona fala, gwałtowna jak letni deszcz. Dobrze znajome małe szczęścia i nieszczęścia – tak to wtedy jest. Zwodnicza mydlana bańka, która nie potrafi nic w sobie zatrzymać. Takie są wszystkie niedzielne wieczory – woda kąpieli wywołuje fotografie.

RUCHOMY CHODNIK NA
DWORCU MONTPARNASSE

Czas zmarnowany? Czas wygrany? W każdym razie, kiedy suniesz nieskazitelnie prostym, niemal bezgłośnym chodnikiem, wpadasz w długi nawias. U podstaw tego wszystkiego leży jakby przyznanie się do winy: nie wolno nikogo skazywać na tak długie korytarze, równie bezkresną wędrówkę. Nawet niewolnikom miejskiego stresu należą się pewne względy. Oczywiście pod warunkiem, że nie będą próbowali wydostać się z rwącego nurtu i potrafią wykorzystać tę wątpliwą ulgę, by faktycznie przyspieszyć swój krok weterana.

Ruchomy chodnik na stacji Montparnasse to prawdziwy gigant. Wstępujesz nań z taką samą obawą jak na ruchome schody w wielkich domach handlowych. Tyle że brak tu stopni, rozwierających się niczym paszcza krokodyla. Wszystko odbywa się w poziomie. Nagle czujesz zawrót głowy – taki jak wtedy, gdy schodzisz w ciemnościach po schodach i myślisz, że został jeszcze jeden stopień, a wcale go nie ma. Ledwie wstąpisz w wartki strumień, wszystko zaczyna się kołysać. Czy to ruch chodnika wymusza na tobie tę sztywność, czy też miłość własna usiłuje jakoś powetować sobie to nagłe zniewolenie? Wyprzedza cię, rzecz jasna, kilku fanatyków pośpiechu, którzy zwielokrotniają szybkość chodnika, pędząc długimi krokami. Ale o wiele milej jest pozostać widzem, z dłonią wspartą na czarnej poręczy.

Z przeciwka nadciągają hieratyczne sylwetki – z obu stron takie same, niby nieobecne spojrzenia. Dziwnie jest mijać się w ten sposób – tuż obok, ale bez możliwości kontaktu; w przyspieszonej ucieczce, która sprawiać winna wrażenie nonszalancji. Czyjeś życie uchwycone przez sekundę – nieobecne, niemal abstrakcyjne twarze, przemijające w szarej przestrzeni. Na dalszym planie kuluar zarezerwowany dla niepoprawnych piechurów, gardzących ułatwieniami, jakie oferuje mechaniczny chodnik. Idą bardzo szybko – pragną zademonstrować daremność twych ustępstw na rzecz lenistwa. Ignorujesz ich. Chcą, żeby opadły cię wyrzuty sumienia – ma to w sobie coś małostkowego, to ich ośmiesza. Nie należy rezygnować z nieodpartych uroków ruchomego chodnika, z podróży bezkresną szyną pełną melancholii. W przepływającym bezruchu jesteś jak postać z Magritte'a – powłoka miejskiej codzienności, mijająca swe zanikające kopie na płaskiej wstędze, która zdąża w nieskończoność.

KINO

Kiedy idziesz do kina, tak naprawdę wcale nie wychodzisz do ludzi. Z innymi jesteś tylko troszkę. Najważniejsze jest to miękkie, kojące falowanie, które czujesz, wchodząc do kinowej sali. Film jeszcze się nie zaczął – rozproszone jak w akwarium światło przyćmiewa stłumione rozmowy. Wszystko jest tu obłe, aksamitne, przygłuszone. Z udawaną swobodą zstępujesz po miękkim dywanie w stronę rzędu pustych krzeseł. Nie można powiedzieć, by człowiek zasiadał, a tym bardziej rozsiadał się w kinowym fotelu. Trzeba dopiero oswoić muszlowaty kształt – ni to ciasny, ni to wygodny. Mościsz się drobnymi, zmysłowymi ruchami. Podobne egoistyczne rozkosze przeżywają twoi sąsiedzi. A poza tym wszyscy jesteście zwróceni w stronę ekranu.

I właściwie do tego ogranicza się ta kinowa wspólnota. Niczego się przecież nie dowiesz o tym olbrzymie, który rozparty trzy rzędy przed tobą przerzuca jeszcze gazetę. Najwyżej usłyszysz, jak się śmieje w chwili, kiedy tobie wcale nie jest do śmiechu. Albo jeszcze gorzej – milczy, kiedy ty się zaśmiewasz. W kinie nie sposób się poznać. Chodzi się tu po to, by się ukryć, zwinąć w kłębek, pogrążyć w sobie. Jesteś na dnie basenu i w błękitnej toni możesz oczekiwać wszystkiego ze strony fałszywej sceny pozbawionej głębi, którą wchłonął ekran. Żadnych zapachów, żadnego przewiewu w sali zastygłej w oczekiwaniu – w przestrzeni stworzonej po to, by adorować płaszczyznę.

Wreszcie zapada ciemność, ołtarz rozbłyska światłem. Unosisz się jak ryba płynąca w przestworzach, jak ptak fruwający w wodzie. Ciało zastyga – stajesz się angielską prowincją, aleją w Nowym Jorku albo deszczem w Brescie. Zamieniasz się w życie, miłość, śmierć lub wojnę, zatopione w świetlistej wiązce, w której tańczy pył. Kiedy pojawia się słowo „koniec", ledwie żyjesz, brakuje ci tchu. Salę wypełnia światło – jest nie do zniesienia. Musisz wyplątać się z kokonu, a potem, jak lunatyk, udać się do wyjścia. Przede wszystkim nie wolno zbyt szybko pozwolić paść słowom, które wszystko osądzą, opiszą, zniszczą. Cierpliwe czekasz na wirującym dywanie, aż ten olbrzym z gazetą nareszcie cię minie. Niezdarny kosmonauta, próbujący zachować choć przez małą chwilę przedziwną nieważkość.

JESIENNY PULOWER

Zawsze się okazuje, że jest już później, niż myślałeś. Tak szybko minął wrzesień, pełen niemiłych obowiązków po powrocie z wakacji. Z nadejściem deszczów mówisz sobie: „No to koniec lata, znowu mamy jesień" – i musisz się pogodzić z tym, że na jakiś czas wszystko będzie tylko nawiasem przed nadejściem zimy. Ale gdzieś tam, w głębi, nie bardzo się przed sobą przyznając, na coś jednak czekałeś. Październik. Noce naprawdę chłodne, a w dzień błękitne niebo i pierwsze żółte liście. Październik – grzane wino, subtelna miękkość światła i prawdziwe słońce jedynie koło czwartej, kiedy wszystko nabiera słodkiej obłości gruszek, które spadają w sadzie.

Potrzebny ci zatem sweter. Pragniesz się ubrać w kasztany, w ich kolczaste łupiny, w podszycie leśne i w różowawą czerwień surojadek. Chciałbyś tę porę roku odtworzyć w miękkiej wełnie. To musi być nowy pulower – namiętność zupełnie nowa, która i tak zacznie umierać w chwili, gdy się narodzi.

A gdyby tak w zieleniach? Irlandzka zieleń, zamglony seledyn, podeschnięta trawa, chropawa whisky, samotna i dzika niczym torfowisko. Może tak rudawy? Tyle jest na tym świecie różnych zrudziałości – rude włosy Ofelii i to pragienie, by tak jak kiedyś dostać na podwieczorek chleb z masłem posypanym kruszonym piernikiem... I lasy przede wszystkim – zrudziała ziemia i zrudziałe niebo, leciutki zapach zbutwiałego drewna, prawdziwków i wody. A surowy jedwab? A czemuż by nie? Sweter grubo tkany ryżowym ściegiem. Czy ktoś jeszcze ma czas, by go na drutach zrobić...?

Bardzo obszerny sweter: ciało gdzieś się zagubi – zamienisz się w porę roku. Luźny pod pachami – w oczekiwaniu. Dobrze brzmi, zagrany w taki sposób, ton po tonie, rzeczy koniec. Wybrać wygodę melancholii. Sprawić sobie nowy jesienny pulower w kolorach odchodzących dni.

USŁYSZEĆ WIADOMOŚĆ
W SAMOCHODZIE

„Tu France Inter, minęła godzina siedemnasta, serwis przedstawi..." Krótki muzyczny sygnał, a potem: „Wiadomość z ostatniej chwili: odszedł Jacques Brel..."

W tym miejscu, gdzieś pomiędzy zjazdem do Évreux a Mantes, autostrada wpada nagle w niezbyt urokliwy wąwóz. Przejeżdżałeś tędy setki razy, ale oprócz wyprzedzania ciężarówek, jedynym twoim problemem był niepokój, czy starczy ci drobnych na opłatę... I nagle następuje cięcie, krajobraz zamiera. To trwa ułamek sekundy. Wiesz, że powstało zdjęcie. Wzgórze z trójpasmową, anonimową szarą jezdnią, która zdąża ku dolinie Sekwany, nabiera w jednej chwili charakteru, staje się zupełnie wyjątkowe – nigdy byś go o to nie posądził. Może nawet ten jadący prawym pasem czerwono-czarny tir z napisem „Antar" zastygł na stop-klatce? Niespodziewanie odkrywasz realność jakiegoś miejsca, którego wcale nie pragnąłeś poznać. Dotychczas było ono dla ciebie jedynie dość ponurą abstrakcją jazdy autostradą; kojarzyło ci się wyłącznie ze znudzeniem, uczuciem lekkiego zmęczenia.

Jacques Brel jawi ci się w bezliku obrazów, masz tyle wspomnień z czasów, kiedy dorastałeś wśród jego piosenek – ta fizycznie wręcz odczuwalna fala owacji, kiedy w 1964 śpiewał w Olympii *Amsterdam*... Ale to wszystko przeminie – czas zrobi swoje. Najpierw będzie mnóstwo wyrazów uwielbienia i wszędzie będzie słychać jego piosenki. Potem coraz rzadziej – aż w końcu prawie całkiem znikną. Za każdym razem jednak powróci obraz wąwozu z autostradą w chwili, gdy usłyszałeś wiadomość. Można to uznać za absurd albo i czarną magię, ale nic się z tym nie da zrobić. Życie kręci swój film – bywa, że przednia szyba auta przeobraża się w ekran, a samochodowe radio w kamerę. Kawałki taśmy kręcą się w głowie. Również i podróż odgrywa w tym swą rolę – to pozorne oswojenie z nijakimi pejzażami, które wymazują się po kolei, by pewnego dnia nagle zaistnieć. Śmierć Jacquesa Brela ma postać trójpasmowej autostrady z wielką ciężarówką z napisem „Antar” po prawej.

ZNIERUCHOMIAŁY OGRÓD

Idziesz sobie przez ogród – latem, gdzieś w Akwitanii. Sierpniowa bezczynność, wczesne popołudnie. Ani śladu wiatru. Wydaje się, że nawet światło zasnęło na pomidorach – po jednej świetlnej plamce na każdej czerwonej kuli. Ostatni deszczyk troszeczkę je ubrudził ziemią. To dobry pomysł, by kilka z nich ochłodzić w strumieniu zimnej wody, a potem wgryźć się w letni miąższ. W znieruchomiałej godzinie smakować powoli kolejne stadia wytrwałej przemiany kolorów. Są pomidory jasnozielone, odrobinę ciemniejsze tam, gdzie się od dołu kończą, i pomarańczowe, wciąż jeszcze troszkę kwaskowate. Wszystko wskazuje na to, że pod nimi gałązki wcale się nie uginają. Do ziemi przychyla je tylko zmysłowość tych dojrzałych.

Przy śliwie, która rodzi śliwki zdatne do suszenia, stoi oparta drabina. Trochę owoców upadło na ścieżkę wokół warzywnika. Z daleka zdają się wrzosowe, ale z bliska widzisz, że to prawdziwa wojna – ciemno-niebieski bije się z różowym. Do delikatnej skórki kleją się drobinki cukru – owoce, spadając, pękły i płaczą teraz morelowym miąższem, splamionym zwilgotniałą ziemią. Te dojrzewające, wciąż jeszcze na drzewie, mają rdzawe cętki na brunatnozielonym tle – niebieskość starszego rodzeństwa kusi je i przeraża.

Chciałbyś skryć się w cieniu, ale słońce przecieka jak deszcz przez listowie. Paląc z bezlitosną słodyczą, przemienia warzywnik w płowego blondyna – rozleniwia sałaty, pokotem kładzie buraczane liście. Tylko maleńkie listki marchewek umiały jakoś się uchronić; są wciąż soczystozielone, jakby ich mizerność chroniła je przed omdleniem z nieszczęsnej miłości. W głębi, przy żywopłocie, truskawki, dla których nie ma już ratunku – dawno przeminął aksamit w barwie granatów i rubinów, zostały tylko zeschłe grudki, zbrązowiały pergamin. Po drugiej stronie, przy kamiennym murku, szpaler grusz z gałęźmi w symetrycznym ordynku. Łagodzi go nieco kobiecość obłych, matowych owoców, całych w rude kropki. Prawdziwie orzeźwiająca, z lekka kwaskowata świeżość bije od rosnącego tuż obok krzaka muszkatelu. Grona winorośli wahają się między bladym złotem a zielenią toni; bywają półprzeźroczyste albo nieprzejrzyste – jedne bez umiaru opijają się światłem, inne zaś, bardziej powściągliwe, wciąż noszą ochronną pelerynkę, utkaną z kurzu i mgiełki. Ale są i grona, już teraz odziane w barwę winnego osadu – mieszają szyki łapczywie chłonącym słońce zielonkawym podlotkom, kuszącym zalotnym powabem.

Jest upał. W cieniu śliwy, moreli i wiśni zasnął nieużywany dawno stół do ping ponga – kilka czerwonych śliwek spadło na szmaragdowy blat ze złuszczoną farbą. Gorąco. Ale w samym zenicie sierpniowych upałów drzemie w ogrodzie obietnica wody – owinięty wokół bambusowej tyczki gumowy wąż, mocno spłowiały. Jego bezładne sploty, wysłużone złączki posklejane taśmą, powiązane sznurkiem, mają w sobie coś oswojonego; coś, co uspokaja. Woda, która nim przybędzie, nie może przecież ranić wapniową twardością, mechanicznym chłodem. Wieczorem tryśnie z niego woda-ukojenie i będzie jej tyle, ile właśnie trzeba.

Lecz teraz panuje słońce; wszystko znieruchomiało – zielone, różowe, spłowiałe. Zebrałeś plon – czas przerwać.

PRZEMOCZONE ESPADRYLE[*]

Droga wydaje się ledwie, ledwie wilgotna. Z początku nic nie czujesz. Stąpasz lekkim krokiem, plecioną podeszwą dotykając gruntu; wyczuwasz pod stopą to szczególne drżenie, dzięki któremu tak miło jest chodzić w espadrylach. W espadrylach jesteś na tyle właśnie ucywilizowany, aby być z ziemią po imieniu, bez narowistych lęków stopy nieobutej. Nie zgubi cię też zbytnia pewność nogi w zbyt solidnych butach. Espadryle to lato – świat jędrny i ciepły; choć bywa, że się lepi roztopioną smołą. Na polnej, piaszczystej drodze, zaraz po ulewie, to ogromnie miłe. Ma zapach... kolb kukurydzy, pędów czarnego bzu, maleńkich żółtych listków opadłych z topoli, które w lenistwie swym już teraz wolą drzemać u stóp drzewa. I to są jasne aromaty. Ponad nimi wznosi się ciemnozielony zapach parującej wody, z domieszką mięty w mdłym odorze szlamu. I oczywiście tuż nad topolami niebo na horyzoncie kłębi się w barwach poszarzałej malwy

---

[*] Płócienne sandały, wiązane tasiemkami (przyp. red.).

– zaspokojone chmury, widoczne w oddali, nie mają wcale zamiaru zalewać się łzami. Pejzaż, zapachy, elastyczność kroków – doznania zmysłów zdają się trwać w harmonii. Ale stopniowo coraz bardziej daje znać o sobie dół – stopa, krok i grunt skupiają na sobie uwagę. A kiedy w końcu zdajesz sobie sprawę, że espadryle namakają, jest już zbyt późno – tego ataku nie da się powstrzymać. Zaczyna się na samym dole – niewyraźna aureola zacieku zaczyna piąć się powoli, aż wreszcie uświadamiasz sobie, jak bardzo szorstkie jest ich płótno. Zdawało ci się, że podeszwy mają uplecione z wiatru, że len jest tak cienki, iż znika, stykając się ze stopą. A proszę – wystarczą dwie kałuże i oto zwiewny woal przemienia się w szorstką włosiennicę z wora na ziemniaki. Sama wilgotność to by była pestka, ale natychmiast zaczyna męczyć cię nieznośny ciężar. Spleciona ze sznurka perfidna podeszwa udaje tylko, że się broni, po czym prędziutko się poddaje. To ona, po chwili całkiem mokra, jest źródłem wszelkich nieszczęść. Wszystko się dusi w napastliwej wodzie. Gumowy czubek buta może najwyżej wzbudzić litość – po jakie licho ta demonstracja postępu cywilizacji, skoro nastąpić musi ostateczny krach? Espadryle to są espadryle. Spijając wodę, ważą coraz więcej – zapach topoli ginie pod odorem mułu. Ze strony nieba nic nie grozi – tym bardziej głupio jest teraz przemoknąć. Lato staje się grząskie, piasek się przykleja. Wiesz z doświadczenia, że espadryle już nigdy do końca nie wyschną. Na parapecie okna lub w szafce na buty skurczą się,

z podeszew wystrzępią się kosmate kłaki, płótno ze-
sztywnieje, a aureola zastygnie na zawsze.

Od pierwszych oznak nieszczęścia rokowania są
smutne – po prostu nie ma nadziei, nie będzie popra-
wy. Kiedy przemoczysz espadryle, wiesz już, jak smakuje ta gorzka rozkosz, kiedy toniesz cały.

SZKLANE KULE

W wodzie szklanych sfer panuje wieczna zima. Kiedy bierzesz taką kulę w ręce, śnieg w zwolnionym tempie unosi się w wirze, który rodzi się na jej dnie. Najpierw zakrywa wszystko mgłą, a potem płatki się rozpierzchają i turkusowe niebo na powrót zastyga w melancholijnym bezruchu. Ostatnie papierowe ptaki wahają się przez kilka sekund nim opadną na ziemię, zwabione błogim lenistwem. Odkładasz kulę. Coś się zmieniło. Z zamarłej, zdawało się, dekoracji, dochodzi teraz jakby wołanie. Wszystkie kule są podobne. Nie ma znaczenia, czy kryją w sobie morskie dno pełne ryb i wodorostów, wieżę Eiffela, Manhattan, papugę, pamiątkę z Mont Saint-Michel czy też górski pejzaż – śniegowe płatki wyruszają w taniec, nieruchomieją z wolna, rozpraszają się, gasną. Przed zimowym balem niczego tu nie było. A po nim... Do Empire State Building przykleiła się śnieżynka – nieuchwytne prawie wspomnienie, którego nie zdołał wymazać przepływający czas. Całą ziemię wyścielają tu zwiewne płatki pamięci.

Szklane kule pogrążone są we wspomnieniach. Marzą skrycie o nawałnicy, o śnieżnej zamieci. Może nadejdzie kiedyś, może nigdy więcej... Jakże często spoczywają w zapomnieniu gdzieś na półce. Jak prędko zapominasz o szczęściu, które mógłbyś im dać. Przecież gdybyś tylko zechciał, opadłoby śniegiem między twymi dłońmi. Nie pamiętasz o niezwykłej władzy, która pozwala ci przerwać ich długi, szklany sen.

Tam w środku powietrzem jest woda. Z początku nie zaprzątasz sobie tym głowy, ale kiedy dobrze się przyjrzysz, dostrzegasz banieczkę uwięzioną w samym szczycie sfery – i od tej chwili zmienia się widzenie. Znika wieża Eiffela w błękicie kwietniowego nieba, niknie fregata mknąca po zastygłym morzu. Wszystko pochłania gęstniejąca jasność – za szklaną ścianą wichry kołują wokół szczytów baszt. Królestwa wzniosłej samotności, meandry, labirynty, nieuchwytne ruchy pośród płynnej ciszy. A w tle, aż po sufit, niebo; po samą powierzchnię błękit pomieszany z mlekiem. Sztuczny, nieistniejący, przesłodzony kolor, którego niebiańska doskonałość zaczyna w końcu niepokoić jak przeczucie zasadzek zgotowanych przez los, kiedy po obiedzie, nie myśląc o niczym, delektujesz się sjestą. Ujmujesz świat w dłonie – po małej chwilce kula się rozgrzewa. Lawina płatków zmiata w mgnieniu oka cały ten skryty lęk przed wichurami. Śnieg sypie w sobie pośród niedostępnej zimy, tam gdzie nieważkość przeważa nad ciężarem. Jak przytulny jest śnieg, kiedy sypie w wodzie.

GAZETA PRZY ŚNIADANIU

To paradoksalny luksus. Jednoczyć się z całym światem w niezmąconym spokoju, wśród aromatu kawy. A w gazecie prawie same potworności, wojny i katastrofy. Gdybyś wysłuchał tego wszystkiego przez radio, naraziłbyś się na ciosy fraz, walących w ciebie jak w bęben. Z gazetą jest zupełnie inaczej. Rozkładasz ją, na ile się da, na kuchennym stole, pomiędzy tosterem a maselniczką. Jakoś tam dochodzi do ciebie, że czasy są pełne okrucieństw – ale pachną przy tym porzeczkowym dżemem, kakao, grzankami... Już sama gazeta jako taka działa uspokajająco. Nie ma w niej przecież ani słowa o tym, co w danym dniu naprawdę się dzieje. Czytujesz *Libération*, *Le Figaro*, *Ouest-France* albo *La Dépêche du Midi*. Wobec szacowności wiekowego nagłówka bieżące kataklizmy wydają się względne. Są tylko po to, by dodać pikanterii, wnieść nieco życia w monotonię rytuału. Rozmiary pisma zmuszają cię do statecznej lektury. Zawadza kubek z kawą. Znaczące jest namaszczenie, z jakim odwracasz strony – chodzi nie tyle o to, by pochłonąć zawartość, ile o jak najlepsze wykorzystanie opakowania.

W filmach świat prasy symbolizują zazwyczaj szalejące maszyny drukarskie i podniecone krzyki ulicznych gazeciarzy. Ale gazeta, jaką znajdujesz rano w skrzynce, nie jest dotknięta tą gorączką. Opowiada o wydarzeniach, które miały miejsce wczoraj, jakby ta niby aktualność właśnie ocknęła się ze snu. A poza tym poważne rubryki są ważniejsze od sensacji. Najpierw studiujesz prognozę pogody – to rozczulający absurd: zamiast wyjrzeć na zewnątrz i zobaczyć, co szykuje dzień, destylujesz ją z drukarskiej farby i mieszasz z osłodzoną goryczą kawy. Ale najbardziej podnosi na duchu – dzięki swej niezmienności – rubryka sportowa. Porażkom towarzyszy zawsze nadzieja na rewanż, można się odpłacić, nim się odcierpi klęskę... Nic się nie dzieje w gazecie, którą czytasz przy śniadaniu – i właśnie dlatego rzucasz się na nią z takim zapałem. Dzięki niej dłużej napawasz się kawowym aromatem, smakiem ciepłych tostów. Możesz z niej wyczytać, że świat wciąż jeszcze przypomina siebie i że dzień wcale się nie spieszy, aby zacząć.

POWIEŚĆ AGATHY CHRISTIE

Czy aby naprawdę powieści Agathy Christie są aż tak pełne nastroju? Może człowiek sam go stwarza, po prostu mówi sobie: to jest powieść Agathy Christie. No bo proszę: nawilgłe deszczem trawniki za *bow-windows*, dwudzielne ciężkie zasłony w roślinne desenie, fotele spływające aż do posadzki miękkimi łukami – gdzie to wszystko jest?! Gdzie te sceny myśliwskie w kolorze fuksji na serwisach do herbaty? A surowe błękity porcelany Wedgwooda?

Wystarczy, by Herkules Poirot uruchomił swe szare komórki i szarpnął za koniuszek wąsa, a już pojawia się nam przed oczyma jasny oranż herbaty i czujemy mdły zapach fiołkowych perfum starej Mrs. Atkins.

Ludzie się wzajemnie mordują, tymczasem wszystko pełne jest spokoju. Z parasoli ścieka deszcz w przedpokoju, pokojówka o mlecznobiałej cerze oddala się powoli po jasnym parkiecie, lśniącym pszczelim woskiem. Od dawna nikt nie tknął starego pianina, a zda się, że jakaś z lekka zgorzkniała romanca osnuwa w swe tanie wzruszenia zdjęcia w zdobnych ramkach i japońskie figurki z saskiej porcelany. Wiemy znakomicie, że od bestialstwa morderstwa dalece ważniejsza jest sama intryga, zdemaskowanie złoczyńcy. Ale po jakie licho mamy się mierzyć z mózgiem Poirota, rywalizować z mistrzostwem wszechwładnej Agathy? I tak nas zaskoczy na ostatniej stronie – cóż, ma do tego absolutne prawo.

Zatem w intymnej przestrzeni pomiędzy zbrodnią a winowajcą budujemy sobie swój przytulny światek. Nasze angielskie *cottages* są niczym hiszpańska oberża – znajdziesz tam tylko to, co z sobą przyniesiesz: dworcowy szum z Victoria Station, kąpieliskową nudę w rytm stuku parasoli o molo w Brighton albo też ponure zaułki Dawida Copperfielda.

Bez końca mokną w deszczu bramki do krokieta. Całkiem przyjemny wieczór. Brydżystów przy uchylonym oknie wprawiają w rozmarzenie ostatnie zapachy jesiennych róż. Już wkrótce sezon polowań na lisa wśród rudziejących jeżyn i jagód czarnego bzu.

Ale o tym nasza autorka nie zająknie się, rzecz jasna, ani słowem. Prowadzeni jej żelazną ręką, zachowujemy się tak jak wobec każdej dyktatorskiej władzy: po cichutku, niczym spiskowcy, delektujemy się tym, czego nie powinniśmy oglądać ni zaznać – wszystkim, co jest dla nas zakazane. Sami sobie gotujemy i jesteśmy zachwyceni naszą własną kuchnią.

BIBLIOBUS

Bibliobus to dobra rzecz. Pojawia się raz w miesiącu i staje na placu Pocztowym. Z góry znasz wszystkie daty na cały rok – widnieją na brązowej karteczce, wsuniętej w książkę, którą pożyczyłeś. Wiesz, że siedemnastego grudnia od czwartej do szóstej po południu wielka biała ciężarówka, przecięta szramą napisu „Conseil general", stawi się wiernie na umówione spotkanie. Taka władza nad czasem pozwala poczuć się pewniej. Nic złego nie może cię spotkać, bo wiesz, że za miesiąc wędrowna czytelnia niezawodnie powróci, by znów rozbłysnąć plamką światła na skwerze przed pocztą. A jeszcze milej jest zimą, gdy wymarłe uliczki wioski przypominają pustynię – bibliobus staje się wtedy jedynym żywym miejscem. No cóż, nie ma tu tłumów – w końcu to nie jest targ. Dostrzegasz jednak znajome sylwetki, zmierzające ku schodkom, po których z niejakim trudem wchodzi się do wnętrza. Wiesz, że za sześć miesięcy znów spotkasz tu Michèle razem z Jacquesem („No to kiedy w końcu ta emerytura?"), Armelle z Océane („Pasu-

je do niej to imię jak ulał – twoja córka ma niesamo-
wicie błękitne oczy!") i parę innych osób, których
prawie nie znasz, ale witasz znaczącym uśmiechem –
łączy was ten rytuał, oni także należą do spisku.

Osobliwe są drzwi ciężarówki. Musisz wślizgnąć
się między dwie kurtyny z przejrzystego, sztywnego
plastiku, które mają chronić wnętrze przed przecią-
giem. Ledwie przekroczysz śluzę, natychmiast wstępujesz w przytulną ciszę, watowaną przestrzeń, gdzie
panuje atmosfera pracowitego nieróbstwa. Kiedy
zwracasz książki, młoda panienka i jej szef kłaniają
ci się, dając do zrozumienia, że nie jesteś im obcy. Nie
ma jednak mowy o głośnych objawach radości – tutaj wszystko musi być stłumione. Nawet w dni, kiedy
szczupłość miejsca wymaga istnych cudów zręczności
oraz wyobraźni, by nie naruszyć terytorium sąsiada,
każdy pozostaje suwerenem swojej własnej ciszy, pa-
nem swych wyborów. A na półkach znaleźć można
niemal wszystko. Masz prawo do dwunastu książek,
dobrze jest więc poszaleć w rozmaitych działach. Je-
an-Michel Maulpoix – mały zbiorek poematów pro-
zą... Czemu nie? „Dzień zamarudził pod stosem liści
i lipowych kwiatów" – wystarczy takie zdanie, by nabrać ochoty. Ogromny album Christophera Fincha
Akwarela w XIX wieku – trochę chyba przyciężki, ale
za to są w nim wschody słońca Turnera i rude pięk-
ności prerafaelitów. A poza tym to duży przywilej,
móc stąd wynieść bezkarnie trzy kilogramy kredowe-
go papieru słusznej objętości, w najlepszym gatunku!
Magazyn poświęcony fotografii, a w nim zdjęcia

dzieci autorstwa Boubata, kaseta kantat Bacha, album o Tour de France... – wolno ci zabrać z sobą wszystkie owe cuda. Z grubsza nasycony, postanawiasz jeszcze pobuszować na ślepo po półkach. Dzieciaki wciąż siedzą w kucki, z komiksami w ręce, od czasu do czasu chwaląc się z zachwytem: „A pani mi pozwoliła wziąć jedną książkę więcej!".

Pragnienie ugaszone, nie ma się gdzie spieszyć. Zapach przegrzanej wełny, wilgotnej gabardyny, wypełnia ciasną przestrzeń. To od spodu nadchodzi dziwaczne uczucie: takie lekkie bujanie, jakby się statek kołysał. Zapomniano o blokadzie kół, więc chwieje się fundament przytulnej świątyni. Morska choroba pośród ciepła książek, to właśnie jest prowincja w zimowym bezruchu. Następny przyjazd bibliobusu w czwartek 15 stycznia – od 10.00 do 12.00 plac przed kościołem, od 16.00 do 18.00 skwer obok poczty.

MAJTECZKI POD OKAPAMI

W witrynie prezentują swe wdzięki kwieciste koszulki, usztywnione staniki, skąpe figi w niewinnych kolorach młodości – w błękitnych i fiołkowych barwach pachnących groszków. Obok nich roztaczają woń piekielnej siarki fotografie modelek w skąpych czarnych koronkach. Szczery uśmiech *cover-girls*, spoglądających niewinnie prosto w twoje oczy, przeczyć ma chyba szatańskiej naturze jedwabnej bielizny. Ale jest całkiem odwrotnie – to są szczyty perwersji. Wkraczasz tam, mając najzwyklejsze, najuczciwsze alibi pod słońcem:

– Mógłbyś skoczyć do pani Wirginii po zatrzaski?

Pani Wirginia... a do tego Lilia!... Tak, tak – pani, która prowadzi ów kusicielski, praworządnie dwuznaczny interes, nazywa się jak dawno już przekwitły symbol niewinności. Doprawdy, widząc ofertę godną Lucyfera, trudno uwierzyć, że to wszystko może sprzedawać pani Wirginia Lilia, gdzieś w cieniu okapów.

Na zewnątrz było duszno, ciężkie gorąco przed burzą – zaduch towarzyszył ci w sklepie z gazetami, nie opuścił cię nawet w eleganckiej aptece w sąsiedztwie. A u pani Lilii jest świeżo, przyjemnie i kremowo – w tym kolorze są niezliczone maleńkie szufladki, piętrzące się aż po sufit. Sklep przypomina długi korytarz, na którego końcu wznosi się kontuar. Za nim, we wnęce, siedzą dwie maleńkie staruszki; jedna, odziana w tandetną imitację satyny, trzyma na kolanach słomkowy kapelusz przystrojony wstążką, druga zaś ma na sobie granatowy chałacik, taki, jaki niegdyś nosiło się w szkole. Ta satynowa tylko wpadła, żeby sobie pogadać, a uczennica to właśnie pani Lilia we własnej osobie. Natychmiast wstaje i podchodzi z usłużnym pośpiechem – zaraz pojmujesz, że wcale nie ma ci za złe tego, iż przerwałeś zaborczą paplaninę jej towarzyszki. Na bardzo krótko zresztą. Satynowej wcale nie przeszkadza twoja obecność ani brak odzewu – nadal wyrzuca z siebie w równym tempie kolejne frazy:

– A mnie, moja kochana, tapety już się wcale nie podobają!

– Będziesz mi musiała dać więcej kordonków do haftowania.

– Te drobiowe targi to w przyszły czwartek?

– Co za upał! Boże, co za upał!

W głębi sklepu swawolna bielizna ustępuje miejsca robótkom do wyszywania – można tu znaleźć dogorywającą łanię, cygankę omdlałą z miłości, śpiewaka w pretensjach i bretoński pejzaż. Ale prawdziwe skarby tego miejsca pysznią się wokół lady. Najpierw – w porządku od małych do dużych – najrozmaitsze guziki na białych kartonikach. Owe użyteczne broszki z emalii, kamee powszedniego użytku, klejnoty codziennej elegancji, zachowują duszę jedynie w towarzystwie sobie podobnych. Świętokradztwem byłoby kupić bladozielone, zmuszając je do rozłąki z grynszpanowymi, szmaragdowymi albo i koralowymi sąsiadami. Obok, w ściennej gablocie, mienią się wszystkimi barwami tęczy szpulki nici. Natomiast kordonki wiją się bardziej sekretnie, wedle powinowactwa tonów, w szufladach, z których pani Lilia dobywa nagłym ruchem garść maleńkich wężyków, spętanych po obu końcach banderolami z czarnego papieru.

Nachodzi cię niestosowna myśl. Czy aby pani Wirginia Lilia, w swym szkolnym chałaciku, święta patronka haftowanych pasjansów, wyszywanek przeznaczonych dla słodkich spojrzeń opuszczonych oczu, protektorka znoszonych ubrań w najlepszym gatunku, które trwają dzięki wymianie guzików – otóż, czy pani Lilia, w swej potrzebie elegancji, nie nosi aby zwiewnej bielizny w błękitach i fioletach groszków? Przysiągłbyś, że przedkłada nad nią cielistoróżowe, nieforemne elastyczne pasy, w dzień targowy stłoczone na straganie opodal jej sklepu, oraz wygodne barchanowe majtki, piętrzące się tamże obok niegustownych sukienek.

A jednak... Jeśli pani Lilia przez całe swe życie działała na rzecz tradycji zalotnych *dessous*, musiała w jakiś sposób ulec ekstrawaganckim pokusom, pragnieniom kokieterii... No cóż – oczywiście w jej wieku... Ale może to właśnie tłumaczy sekret rześkiej atmosfery, panującej pod okapami? Koszulka w kwiatuszki, noszona przez panią Lilię, nie służyłaby przecież zaspokojeniu brutalnej pożądliwości jakiegoś samca ani też satysfakcji młodej dziewczyny, podziwiającej się w lustrze. O nie! To byłaby koszulka idealna – skomna koszulka, wybrana wyłącznie z powodu swej barwy, szlachetności materii. Oto dlaczego w kremowej świątyni odczuwa się jakby chrzestną świeżość. Oto dlaczego, mimo skromnego niebieskiego chałacika, panią Lilię otacza nieuchwytny, szczególny nimb – pani Wirginia Lilia jest bowiem niepokalaną panienką od kusicielskiej bielizny.

NURKOWANIE
W KALEJDOSKOPACH

Zagłębiasz się w lustrzaną japońską komnatę – odkrywasz sekretne grodzie, smakujesz światło uwięzione w dusznej, tekturowej tubie. Teatr cieni, które rzuca tajemnica, obnażone kulisy świetlnych gier, ściany z mrocznego lodu. To właśnie tu, w niejasnym okrucieństwie powielanych obrazów, rodzi się cud. Na żadnym z obu końców tuby nie ma nic ciekawego – z jednej strony prostackie wręcz w swej ostentacji małe okienko dla podglądacza, z drugiej zaś – zamknięte między dwiema krągłymi matowymi szybkami – kolorowe kryształki, jaskrawo barwione szkiełka, zamazane nieco mgiełką odległości, jakby zakurzone. Od dołu spektakl płaski i mdły, od góry zimne oko lśni. Ale pomiędzy nimi coś się szykuje – ukradkiem, po ciemku, w czeluściach gładkiego, podłużnego cylindra, oklejonego cienkim, glansowanym papierem – zwykle nijakim, w splątane arabeski i w niedobrym guście.

Zaglądasz – a w środku radosna papuzia niebieskość, fiołkowe różowości i ciemne oranże przesypują się płynnie, jakby tańczyły w wodzie: wschodni pałac luster, harem kier lodowych, śnieżny płatek sułtana. Niepowtarzalna podróż – i ciągle od nowa. Turkusy wędrują krawędzią polarnych diademów, granaty przemierzają turkusowe wody tropikalnych zatok... Krainy same się odkrywają, krainy bez imienia – próżno ich szukać na mapach. O włos przekręcasz tubę – jesteś gdzie indziej, dalej. Ciepłe i zimne kraje rozpadły się za tobą z bolesnym grzechotem pęknięć.

Cóż warte, co porzucasz? Garstka kryształków z barwionego szkła i tak wciąż stwarza nowe światy. Czekasz na obraz, a gdy się pojawia, widzisz, że to nie on, lecz tylko prawie taki sam. Ta niewielka różnica to jest już cały zysk z podróży, całe nią upojenie – a czasem żal i przygnębienie, bo wiesz, że nigdy nie zawładniesz krajem wędrujących kryształów. Nigdy już nie powróci ta niebiańska mozaika z malachitowej zieleni, z czerwieni teatralnych pluszy – ma w sobie geometryczny majestat pałacowych ogrodów i duszącą intymność pawilonów chińskich. Sufit, ściany, podłoga – ziemskie atrybuty unoszą się w rozpryskach nieważkiej przestrzeni. Tu trzeba się zatrzymać – pogrążyć na długo. Nie wolno ci odłożyć tuby: najlżejszy gest wystarczy, by unicestwić kontynent – westchnienie jest jak cyklon, zdolny porwać pałac.

W zaciemnionej komnacie odbicia tajemnicy. Nic nie jest trwałe, nic nie ma ciężaru – wszystko się miesza, wszystko się rozpada. Nic nie posiadasz. Tylko to piękno znieruchomiałe na kilka sekund – nie niecierpliwisz się i nie pożądasz. Ulotne, skromne szczęście, na moment schwycone w dłonie. Musisz je trzymać w końcach palców, najdelikatniej jak zdołasz.

TELEFONOWANIE Z BUDKI

Na początku musisz pokonać cały szereg materialnych przeszkód, które zawsze sprawiają kłopoty: trzeba sforsować podstępne, nieruchawe drzwi (i nigdy nie wiadomo, czy popchnąć i pociągnąć, czy pociągnąć i popchnąć); odnaleźć kartę magnetyczną, zagubioną gdzieś między biletami do metra i prawem jazdy (czy wystarczy impulsów?!). Potem, wlepiając wzrok w ekranik, poddać się instrukcjom: zdejmij słuchawkę... wybierz numer... czekaj... Skurczony w zamkniętej, zbyt ciasnej przestrzeni, która zdążyła już zaparować, czujesz się rozdrażniony, nieswój. Kiedy wystukujesz numer na metalowej klawiaturze, rozlegają się kłujące, zimne dźwięki. Masz wrażenie, że zostałeś uwięziony w prostopadłościanie ze stali i szkła, który nie tyle służy izolacji, ile jest potrzaskiem. Ale jednocześnie dobrze wiesz, że musisz przebrnąć przez ten inicjacyjny rytuał i poddać się rozkazom bezdusznego mechanizmu; inaczej nie uda ci się dostąpić najintymniejszego, najbardziej wzruszającego ciepła – ciepła ludzkiego głosu. Kolejne dźwięki zdają się zresztą niepostrzeżenie zdążać ku owemu cudowi: kiedy milknie lodowate echo po wystukanym numerze, odzywa się modulowany przyśpiew; coś jakby pępowina, która wiedzie cię do punktu zaczepienia – na końcu słychać niższy, bardziej uroczysty dźwięk, pulsujący w rytm uderzeń serca. Urywa się nagle – to trochę tak, jakby nastąpiło rozwiązanie.

Dokładnie w tej samej chwili podnosisz głowę. Najpierw zjawiają się słowa doskonale banalne, nieszczerze beznamiętne: „Tak, tak, to ja... Tak, bez problemów... Jestem tuż obok tej małej kawiarenki, pamiętasz, na placu Saint-Sulpice...”

Ale nieważne, co mówisz – ważne jest, co słyszysz. To niebywałe, jak wiele wyczytać można z głosu, kiedy kogoś kochasz: smutek, zmęczenie, słabość, siłę, radość życia. Kiedy nie widać gestów, znika skrępowanie – nagle wszystko staje się przejrzyste. Wtedy nad absurdalnie szarą skrzynką telefonu dostrzegasz nagle inną przezroczystość. Przed sobą widzisz chodnik, kiosk, dzieci na wrotkach. Tak miło odkryć nieoczekiwanie świat z tamtej strony szyby; to czysta magia: jakby pejzaż rodził się wraz z głosem płynącym z oddali. Na twoich wargach pojawia się uśmiech. Kabina traci ciężar – jest tylko ze szkła. A głos – tak daleki, tak niezmiernie bliski – mówi ci, że Paryż przestał być zesłaniem, że gołębie wznoszą się ponad ławkami, że przegrała stal.

ROWER I KOLARKA

Kolarka jest przeciwieństwem roweru. Mknąca siedemdziesiąt na godzinę, połyskująca fioletowym lakierem profilowana sylwetka – to kolarka. Dwie uczennice, które ramię w ramię, powolutku, przejeżdżają przez most nad kanałem w Brugii – to rower. Kontrast nie musi być aż tak wielki. Michel Audiard, w pumpach i długich skarpetach, zatrzymujący się, by wypić kieliszek białego wina przy kontuarze bistra – kolarka. Nastolatek w dżinsach, który zsiada ze swego stalowego rumaka i udaje się z książką pod pachą do ogródka kawiarni, by napić się wody z syropem miętowym – to rower. Jest się w jednym albo w drugim obozie. Istnieje wyraźna granica. Machina z ciężką ramą może sobie mieć zakręconą kierownicę – i tak pozostanie rowerem. Półwyścigówka może kłuć w oczy błotnikami – a nadal będzie kolarką. Lepiej jest nie udawać i przyznać się do swej prawdziwej natury. Albo nosisz w sobie obraz czarnej doskonałości klasycznego holendra i powiew szalika na wietrze, albo marzysz o leciutkiej wyścigówce, której łańcuch brzęczy nie głośniej od pszczoły. Na rowerze jesteś potencjalnym pieszym – pętającym się po bocznych uliczkach amatorem gazety, czytanej na parkowej ławce. Na kolarce się nie zatrzymujesz – uwięziony po kolana w obcisłym kostiumie z kosmicznych materiałów, poruszałbyś się po ziemi jak kaczka, więc się nie poruszasz.

Czy chodzi o stosunek do szybkości? Być może. Zdarza się jednak spotkać bardzo zażartych wyścigowców na rowerach i niemrawych ramoli na kolarkach. Zatem ciężar kontra lekkość? To już bardziej. Z jednej strony marzenie, by oderwać się od ziemi, z drugiej zaś poczucie bezpieczeństwa i kontakt z podłożem. A poza tym, cóż – wszystko się różni. Weźmy kolory: wściekle zielone lub pomarańczowe metalizowane lakiery kolarek i brunatne, kremowe, matowoczerwone barwy ram rowerów. Również materiały oraz forma. I zgadnij, dla kogo swoboda, wełny, sztruksy i szkockie spódniczki, a dla kogo opięte syntetyki?

Rodzi się rowerem albo kolarką – i ma to niemal polityczny wymiar. Ale kolarki muszą zrezygnować z tej cząstki siebie, która służy miłości – bo zakochać się można jedynie w rowerze.

NEOFITA GRAJĄCY
W PETANKĘ*

– To co? Szczelasz czy ponktujesz?
Nieudolna imitacja marsylskiego akcentu wchodzi w skład protokołu. Z kulami w dłoniach czujesz się trochę spięty. Możesz się do woli zgrywać, by dodać sobie animuszu, możesz strzelić sobie głębszy pastis albo Fanny, parodiować rozjuszonego Ramu lub Fernandela-szydercę, ale dobrze wiesz: i tak nic z tego nie będzie, bo ci brakuje stylu. Nie umiesz – jak przystało na pierwszego punktującego, gdy zastanawia się nad optymalnym rzutem – swobodnie przykucnąć z rozstawionymi kolanami, od niechcenia podrzucając kulę w dłoni. Brak ci tego skupionego milczenia, które poprzedza wielkie czyny strzelca – w jego wahaniu czuje się wtedy napięcie, jakby się delektował wyzywaniem losu. Zresztą nie grasz w petankę, tylko w kule – ileż beznadziejnych pudeł i de-

---

* Odmiana gry w kule, pochodząca z południowej Francji (przyp. red.).

sperackich trafień w stylu kamikaze, kiedy wybijasz
właśnie tę, której nie chciałeś, przypada na jednego
zupełnie nieoczekiwanego asa, jedno wprawiające
w osłupienie rozbicie!
No i co z tego. Gdy słyszysz radosny stuk – ten
wakacyjny stuk srebrzystych kul – wracają powie-
dzonka, odnajdujesz gesty.
– Widzisz ją?
Więc się zbliżasz i wskazujesz czubkiem buta
miejsce, gdzie między dwoma białymi kamieniami
ukryła się mała „świnka". Coraz mniej gadasz, sku-
piasz się na grze. Zamiast czekać na swoją kolejkę
gdzieś z boku, postanawiasz wkroczyć w samo serce
akcji i stajesz obok zagranych kul.
– Jest?
Bierzesz sznurek. Wszyscy cię otaczają. Mierzysz.
To bardzo trudne, nic nie poruszyć pod pełnym po-
wątpiewania wzrokiem adwersarzy.
– Jest. Kilometry to to nie są...
By rozegrać ostatnią kulę, podchodzisz niby non-
szalanckim krokiem. Nie posuwasz się do tego, by
przyklęknąć, ale rzucasz bez pośpiechu, dostojnie,
niemal ceremonialnie. Przez kilka sekund przyglą-
dasz się, jaką też drogę obierze. Kiedy kończy bieg,
zbliżasz się z lekko zdegustowaną miną, przez którą
przebija jednak nieco fałszywej skromności. Nie za-
punktowałeś, ale jest blisko – udało ci się nie chybić.
Na początku partii nie miałeś nic do roboty, pod-
nosiłeś tylko kule innych. Ale teraz jest inaczej – teraz już schylasz się po swoje!

Spis treści